Dimanche c'est mon anniversaire

1ère Partie, Unité 10

Barbara Scanes

C'est bientôt mon anniversaire, papa!
août
Ah, oui?

août
lundi mardi mercredi jeudi vendredi samedi dimanche
1 2 3
4 5 6 7 8 9 10
11 12 13 14 15 16 17
18 19 20 21 22 23 24
25 26 27 28 29 30 31
Oui, aujourd'hui c'est lundi. Mon anniversaire c'est dimanche.

Alors, lundi mardi mercredi jeudi vendredi samedi et dimanche!
août
Sept jours.

Non, papa.
Aujourd'hui c'est lundi.
Dimanche c'est mon
anniversaire. Alors, mardi,
mercredi, jeudi, vendredi,
samedi ... cinq jours!
août
lundi mardi mercredi jeudi vendredi samedi dimanche
1 2 3
4 5 6 7 8 9 10
11 12 13 14 15 16 17
18 19 20 21 22 23 24
25 26 27 28 29 30 31

Et lundi prochain
c'est la rentrée, dans
six jours alors!
septembre

septembre
1 2 3 4 5 6 7
8 9 10 11 12 13 14
15 16 17 18 19 20 21
22 23 24 25 26 27 28
29 30
Ah non!
C’est nul!

Vocabulaire

aujourd'hui	today
lundi	Monday
mardi	Tuesday
mercredi	Wednesday
jeudi	Thursday
vendredi	Friday
samedi	Saturday
dimanche	Sunday
un jour	a day/one day
sept jours	seven days
prochain	next
lundi prochain	next Monday
la rentrée	back to school
dans	in